I WANTED TO

მინდოდა, მეკითხა

Salome Benidze
სალომე ბენიძე

I WANTED TO ASK YOU
მინდოდა, მეკითხა

Translated from Georgian by
Helen Mort and Natalia Bukia-Peters

poetry
translation
centre

First published in 2018
by the Poetry Translation Centre Ltd
2 Wardrobe Place, London EC4V 5AH

www.poetrytranslation.org

With the exceptions of 'I Wanted to Ask' and 'Three Summer Letters',
the Georgian poems included in this chapbook were first published in two separate
collections by Salome Benidze: *An Explanatory Note* (Intelekti, 2011) and
The Story of the Sleepless (Intelekti, 2013).

ISBN: 978-0-9575511-5-2

A catalogue record for this book is available from the British Library

Designed in Minion and Menlo by Libanus Press
Printed by Page Bros (Norwich) Ltd

The Poetry Translation Centre is supported using public funding by
Arts Council England

Contents

Introduction

Salome Benidze is a poet, writer, blogger and translator. Her poetry has received many prestigious awards and has been translated into more than a dozen languages. Born in 1986 in Kutaisi, Salome grew up during the turbulent decade of the 1990s when the Soviet Union collapsed and many new countries emerged from its ruins. In Georgia these years were marked by civil war, a downturn in the economy, widespread corruption and rampant crime. As a consequence, a great number of people were forced to emigrate in order to earn their living. The majority of these migrants were women, many of whom had to leave their young children with relatives and live in exile from their homeland, often working abroad for decades in order to provide for their families. Their commitment and sacrifice became one of the driving forces behind the economic recovery and, in the process, a challenge to the established norms of Georgia's patriarchal society. The newly independent state was sustained by increasingly independent women. Salome's poems draw on this period of struggle, giving voice to the anxieties born at this time.

'The Story of the Poor' tells of these years, when Georgians experienced hardship unprecedented since the Second World War. The poem is part fable, part cri de cœur; it begins with classical simplicity: 'I could not count the sand in the sea. / They took the sea away from me.' But the counting motif quickly becomes a reckoning of human loss that can't be quantified: 'Who will count death in the street / deaths by war / deaths by blind fire / death by hunger / deaths by fear?' In the second half of the poem, the poet pivots to a more personal perspective where the trauma suffered is the emotional fallout from a relationship. This disorientating juxtaposition of political events set against personal feeling dramatizes many of Salome's poems. In the poem, the breakdown of a relationship provides the perspective to examine wider misogynistic expectations that leave women 'clinging to our wretched luxury with dirty nails'; addressing younger women, the poem warns 'a wardrobe / is just a coffin'.

Yet, whilst Salome's work is politically charged, her poems do not read as political tracts; they are full of the contradictions of life. So, in 'The Story of Those Without Motherland', a poem which articulates the pain of mass emigration, the speaker castigates her homeland's destructive appetite:

> my motherland is a Venus fly trap
> which eats us down to our skeletons
> and spits out what it can't digest

But she also acknowledges that 'the worst is death under a different flag'. Such emotional dichotomies have separated many families in recent years. Salome's nuanced understanding of human impulse brings particular poignancy to the speaker's plea:

> Why didn't you grab my hand
> and tell me
> that sometimes freedom is a place without motherland

The final poem in this selection is a lament which contains both prayer and secular invocation. In 'My Soldier Husband', a woman longs for her husband's return from the war that has ravaged her country. Imploring him, and trying to console herself, the speaker describes a heightened sensitivity that might well describe Salome's poetics:

> When you've survived bullets and ghosts
> the smell of cotton sheets is all the sweeter

Salome's poems explore the dramatic historical and social changes of Georgia's recent history, as they map out very personal stories of life and love. They are conveyed in a rich and Romantic language, and yet speak to the living moment. In its exemplary construction as well as its subject matter, her work is a call for women's voices to be taken more seriously.

Natalia Bukia-Peters

მინდოდა, მეკითხა,
ხომ არ მოგენატრე,
ჩემი თითების სუნი ხომ არ გაგახსენდა,
როცა დაგირეკე
და სხვათა შორის გითხარი რაღაც,
შენ კი ათასი შეკითხვა დამიბრუნე,
ათასი უშინაარსო შეკითხვა,
რომელთაგანაც არცერთი არ იყო:
„როგორ ხარ?“
„ისევ გიყვარვარ?“
„გინდა, საღამოს კინოში წავიდეთ?“

მინდოდა, მეთქვა,
რომ მე ყოველთვის მიჭირდა
უბრალო წინადადებების მოძებნა შენთან სალაპარაკოდ,
მეგონა, ისინი ვერ გამოხატავდნენ
ჩემს შენდამი სიყვარულს,
ჩემს ყველა ტკივილსა და შიშს,
ჩემს დახუჭულ თვალებში დაძინებულ სურვილებს.
მე ყოველდღე გიყვებოდი ამბებს
ჩემზე და სხვა ადამიანებზე,
ყოველდღე გწერდი ათას სიტყვას,
რომელთაგანაც არცერთი არ იყო:
„მიყვარხარ!“
„მომენატრე!“
„მოდი!“

მინდოდა, დაგენახა,
რომ მე აღარ ვარ ისეთი ლამაზი,
როგორიც ვიყავი შენს გვერდით,
როგორიც ვიყავი შენს ცხოვრებაში,
რადგან სილამაზე სარკეა –
ის ბედნიერებას ირეკლავს.
მე კი, რაც შენ დაივიწყე ჩემი მისამართი,

I Wanted to Ask

whether you missed me.
Perhaps you remembered
the smell of my fingers,
times I phoned you for small talk
and you answered
with a thousand pointless questions
but never asked:
How are you?
Do you still love me?
Would you like to go to the movies?

I wanted to say
I never knew
how to find a simple sentence
that could hold my love for you,
my pains and fears,
my shut-eyed, secret wishes
so I gossiped about myself
and all the others.
I dropped a thousand hints
instead of saying:
I love you!
I miss you!
Come!

I wanted you to see
that I am not as beautiful
as I was with you,
as I was in your life
that beauty is a mirror
hung in your hallway.
Now that you don't know
my address, I've covered
my mirrors with black cloth

ყველა სარკეს შავი ნაჭერი ჩამოვაფარე,
ოთახის შუაში დავასვენე ოცნებები
და ვთქვი:
„აღარ დაბრუნდე!“
„აღარ შემხვდე!“
„აღარ დამიძახო!“

და მაინც,
იმ საღამოს, დაღლილი რომ ჩამოვჯექი კართან
და არავის მოსვლას დაველოდე,
მომინდა, მეკითხა,
ხომ არ მოგენატრე,
შემთხვევით,
სრულიად შემთხვევით . . .

and laid my dreams
in the middle of the room. I said
Don't come back!
Don't meet me!
Don't call me any more!

but even
as I closed the door
and put my back against it
and slid down to the floor
and hoped nobody would enter,
it was you I wanted to phone
ask if there was any way
you could miss me,
if there was any chance . . .

ზაფხული. წერილი პირველი.

ყველა სიზმარი, დილაობით თავქვეშ რომ ვეძებ,
ყველა სურვილი, რომ არასდროს უნდა გამეშვი,
ეს – შენი გრილი ხელებია ჩემს დამწვარ მხრებზე
და შენი ჩუმი ღიმილია ჩემს მშვიდ თვალებში.

ყველა ნიჟარა, ყველა ტალღა და ყველა თევზი,
ყველა ნავი და იალქანი, ქარებს რომ ვანდე,
ეს – უეცარი შეხვედრაა შორეულ გზებზე,
ბეწვის ხიდია ზაფხულიდან შემოდგომამდე.

გემო მარილის, მზის ბილიკი, რომ მიდის ცამდე,
ქოლგების მწკრივი, ზღვა, რომელსაც არ აქვს საზღვარი,
ეს ყველაფერი, შეიძლება, სიყვარულს ჰგავდეს,
ჰო, სიყვარული, შეიძლება, იყოს ამგვარიც.

ყველა სიზმარი, დილაობით თავქვეშ რომ ვეძებ,
ყველა სურვილი, რომ არასდროს უნდა გამეშვი,
ეს – ჩემი თხელი თითებია შენს ფართო მხრებზე,
ეს – ჩემი მშვიდი ღიმილია შენს თბილ თვალებში.

ზაფხული. წერილი მეორე.

იყო ღამე და მოვდიოდი ხეების ჩრდილში,
იყო ღამე და ვარსკვლავების მსურდა თვალთვალი,
მე მახსოვს შიში, უშენობის უღონო შიში,
სიყვარულზე და მოლოდინზე უფრო მართალი.

იყო დილა და მზის სინათლეს ეძინა ჩემთან,
იყო დილა და მდარაჯობდა მთვარის აჩრდილი,
მე მახსოვს სევდა, უშენობის ფერმკრთალი სევდა,
ყველა წამიერ სიხარულზე უფრო ნამდვილი.

THREE SUMMER LETTERS

First Summer Letter

All my half-remembered dreams
are of your cool hands
on my sunburnt shoulders,
your smile as calm as sand.

All the boats I trusted without reason
all the creatures of the sea
become our unexpected meetings
a rope bridge between seasons.

The taste of salt, the sun's path through the sky
the parasols and boundless sea
are artist's impressions
of what love could be

and my half-remembered dreams
are a dream of loss disguised –
my fingers on your broad shoulders
my smile in your warm eyes.

Second Summer Letter

It was night and I walked in tree-shadows.
Night, and I wanted to watch the stars.
I was afraid of being without you,
a passenger in an empty car.

It was morning and the sun slept with me.
Morning, and the moon's ghost was our guard.
Your absence was a pale sadness,
darker than ice but just as hard.

იყო შუადღე და მკლავები მწვდებოდა ცამდე,
იყო შუადღე და მწვდებოდა მიწა წელამდე,
მე მახსოვს დარდი, უშენობის უთქმელი დარდი,
შენამდე გავლილ სიცოცხლეზე უფრო ფერადი.

გიყვები ახლა: ამ ნაპირზე ზღვამ გამომრიყა,
ნუღარ გაამხელ, თუკი შევცდი, თუკი დაგღალე,
მე აღარ მახსოვს სიყვარული, რომელიც იყო,
მიწაზე მტკიცე, ზღვაზე ღრმა და ცაზე მაღალი.

ზაფხული. წერილი მესამე.

ვზივარ, გიხსენებ, გიმეორებ, გფურცლავ და გმარცვლავ,
გკითხულობ, გზვერავ, თვალს გაყოლებ, გათვალიერებ,
და მაინც, შენი ყოვლისშემძლე ღიმილის ნაცვლად,
დღეს მე და ივლისს თვალწინ გვიდგას სიცარიელე.

მინდა, მოგწერო, რომ არ ხდება აღარაფერი,
რომ გზას ვადგავარ, გზას, რომელიც არსად იწყება,
რომ ჩემს კედლებში, სხეულს რომ ჰგავს, მთვარის ნაფერებს,
ერთად ცხოვრობენ სიყვარული და დავიწყება,

რომ ჩემს თვალებში, რა ხანია, მტვერი დაბუდდა,
რომ მხრებზე მაწევს ღრუბლიანი ღამე ურყევი,
რომ მე ფერმკრთალი სიზმარი ვარ მზიან ზაფხულთა,
რომელიც ნახე და ლილისპირს წყალს მოუყევი.

ვზივარ, გიხსენებ, გიმეორებ, გფურცლავ და გმარცვლავ,
გკითხულობ, გზვერავ, თვალს გაყოლებ, გათვალიერებ,
და სადღაც, შენი მზით დამწვარი მკლავების ნაცვლად,
მელის აგვისტო,
მდუმარება,
სიცარიელე.

It was afternoon and I could touch the sky.
Afternoon, and I sank to my waist.
I remembered my unsung sorrow
more vivid than your lost face.

It's the present now. I'm at sea.
I don't want to know if I tired you out.
I don't remember my love for you –
the depth of the sea, the weight of a cloud.

Third Summer Letter

I sit, I think you and think you, I scan you and spell you.
I read you, I spy you. My eyes follow you, examine you.
But when I open them, instead of your smile – majestic –
there's only emptiness and July.

I want to write that nothing is happening,
I am on a road with no beginning,
my passengers love and amnesia,
my pale upholstery a body touched by the moon,

write that the dust has settled on my face long ago
that I'm shrouded in the cloudiest night
I am a pale dream of hot summers,
a story told to your own reflection in the lake.

I sit, I think you and think you, I scan you and spell you.
I read you, I spy you. I'm waiting for your bare arms
to feel the sunburn of your stare again

but August
and silence
wait for me, a suitcase emptied after a long journey.

ამბავი უსამშობლოთა

არასოდეს მიკითხავს შენთვის,
რას ფიქრობდა მამაშენი,
როცა საზღვარი გადაკვეთა –
ცალ ხელში ეჭირე შენ,
მეორეთი კი მიაგორებდა ერთადერთ, გაცრეცილ ჩემოდანს.
არასოდეს მიკითხავს შენთვის,
რა შეგრძნებაა,
როცა გვარი ერთს ამბობს და
პასპორტში, ეროვნების გრაფა – მეორეს.
შენ ყოველთვის ლაღი იყავი და ბედნიერი,
თვალები ნათელი გქონდა და როცა მიღიმოდი,
მე მათში ვერ ვხედავდი შენს ვერცერთ სამშობლოს –
მხოლოდ მე ვჩანდი.
მე კი ამ დროს თვალცრემლიანი ვუყურებდი
ჩემი მთების თავზე უცხო თვითმფრინავების გადაფრენას
და გეუბნებოდი, რომ არსადაა ბედნიერება,
გარდა საკუთარი სახლისა,
გარდა საკუთარი ხალხისა,
რომ ყველაზე ბედნიერი სიკვდილი
მშობლიურ მთებში სიკვდილია,
ყველაზე უბედური კი სხვა ქვეყნის დროშის ქვეშ კვდები,
რომ სამშობლოს მიტოვება იგივეა,
რაც ახლადდამარხული მამის გვამის ამოთხრა,
ხორცის გაყიდვა,
ძვლების ზურგზე მოკიდება და კარდაკარ სიარული.
მე გეუბნებოდი,
რომ ჩვენთან წყლის გემო სხვაა,
მაშინაც კი, თუ ხშირად გიწევს,
ამ წყალში დამამშვიდებელი გახსნა და დალიო,
და ერთხელაც იმდენი დალიო,
აღარასდროს გამოგეღვიძოს.
ყოველთვის, როცა ჩემს სამშობლოზე გიყვებოდი,
ჩემი თვალები იყო ფართო
და შენ მათში ჩემს ერთადერთ ქვეყანას ხედავდი.

The Story of Those Without Motherland

I have never asked you
what your father was thinking
when he crossed the border
with you in one arm
and, in the other, his single, threadbare suitcase.
I never asked you
how it feels
when the name on your lips tells one truth
and the name on your passport another.
You were always so happy and carefree.
When you smiled at me, bright-eyed,
I saw myself in your irises,
not the shape of your motherland.
All this time, I watched and wept
as foreign planes flew over my own mountains
and I told you there is no happiness
without home,
without people to call your own,
that the happiest death is
death in the mountains of your country
and the worst is death under a different flag,
that abandoning your motherland is like
digging up the barely-cool body of your father,
selling his flesh,
wearing his bones like a rucksack you hawk from door to door.
I am telling you
that the taste of water is different in my motherland
even when
you have to drop a tranquilliser in the glass,
let it dissolve and drink and drink
and never wake again.
When I told you stories of my motherland
you could see my country
widen in my open eyes.

უბრალოდ, რატომღაც, ორივეს დაგვავიწყდა –
მე ახლომხედველი ვარ,
ამიტომაც ვერასდროს ვამჩნევდი
ჭუჭყს, რომელიც ზღვის ტალღებს მოჰყვება,
მთებს შორის – უფსკრულებს,
ამიტომაც არასოდეს არ მითქვამს შენთვის,
რომ სინამდვილეში,
დიდი ხანია, გაცვდა ჩემი სამშობლოს ფირუზიცა და ზურმუხტიც,
და ახლა აქ არაფერს ისვრიან მიზანში ისე კარგად,
როგორც ფურთხსა და ტალახს,
რომ კაციჭამია მცენარეა ჩემი სამშობლო,
რომელიც ჯერ ძვლებიანად გვსანსლავს,
მერე კი ვეღარ გვინელებს და უკან გვაფურთხებს,
რომ აქ ხანდახან ჰაერიც კი ისეთი მძიმეა,
თითქოს კლდიდან მოწყვეტილი ლოდები
მკერდზე დაგეყარა,
მხრებზე დაგეყარა,
თითქოს ზურგზე მთელი მთა მოიგდე,
მიღოღავ, მიათრევ და ვერავის აჩეჩებ –
ამ მთასაც შენი სამშობლო ჰქვია,
ხელს არავინ წამოგაშველებს.
არც ის მითქვამს ოდესმე შენთვის,
რომ ჩვენთან ბრმა ტყვიით მეტი კვდება,
ვიდრე ბრძოლის ველზე,
და საბოლოოდ, ყველა მათგანის გულზე დაყრილი მშობელი მიწა,
მსუბუქი კი არა,
ბედის ბორბალივით მძიმეა.
არ მითქვამს, რომ აქ სიყვარული ხანდახან, სირცხვილია,
განსაკუთრებით, თუ ქალი ხარ და ხმამაღლა გიყვარს,
აქ სიყვარული არ გავს გვირილებიან, გაშლილ მინდორს,
სადაც სუნქავს კანიც და მიწაც,
ჩემს სამშობლოში სიყვარული არის ისეთი უცნაური და
მოუხერხებელი,
როგორიც ჩვენი მთის ბილიკები,
სადაც მხოლოდ ცხვრებსა და გარეულ თხებს შეუძლიათ გავლა.
შემომხედე!

How could we forget
I am short-sighted?
I never noticed the debris on the shore,
the precipices between mountains.
In reality,
my motherland's turquoise and emerald sea-colours faded long ago,
that the target she shoots at is
made of spit and mud,
that my motherland is a Venus fly trap
which eats us down to our skeletons
and spits out what it can't digest,
that sometimes the air
is hillside stonefall, rubble
and breathlessness,
weight on your shoulders,
a whole mountain on your back
you must carry with you, you alone.
This mountain is motherland too.
Nobody will help you move it.
Nor have I told you
that more die from mis-fired bullets
than on the battlefield
and the soil of the motherland thrown over their chests
is not light
but heavy as fate.
I haven't told you that love here is sometimes shameful
especially if you are a woman and you love too loudly.
Love is not a daisy-meadow
where you sigh, bare-skinned on the breathing earth.
Love in my motherland is strange and awkward,
a winding mountain path
trodden by sheep and wild goats.
Look at me!
I'm telling you about my motherland.
I'm telling you a different story now.
I'm telling you how they sat me back-to-front on a donkey

მე ისევ გიყვები ჩემს სამშობლოზე,
გიყვები სხვა ისტორიას,
გიყვები, როგორ შემსვეს ჯორზე უკუღმა
და სოფელ-სოფელ მატარეს,
როგორ ჩამივარდა ფეხი ნაპრალში
და რადგან არავინ მომეშველა,
როგორ მოვიჭერი ფეხი და თავი გადავირჩინე.
გიყვები, როგორ არ ვუყვარვარ მას,
ვინც შენს მაგივრად, გულის სულ სხვა ნაწილით მიყვარს,
მიყვარს უფრო ხმამაღლა, ვიდრე ნებადართულია,
უფრო გაბედულად, ვიდრე ამის ნებას ჩემი მანდილი მაძლევს.
ვდგავარ მარტო ჩემი ქალაქის ცარიელ მოედანზე
და შორიდან გიყვები,
რომ ახლა მივხვდი, არასოდეს მქონიდა სახლი
და ეს ღვარცოფიც, ქუჩაში რომ მიედინება,
სხვა არაფერია, თუ არა ჩემი ცრემლი,
დედინაცვლის საამებლად რომ ვაგროვე
და ბოლოს, რადგან ჭურჭელი არ მეყო,
გადმოვიდა და წალეკა ერთი ცოდვილის წილი სამყარო.

შემომხედე!
მე მინდა, გკითხო,
როცა ჩვენი ქალაქის დათოვლილ აეროპორტში
ისე დაგტოვე, რომ უკან მოხედვაზე არც მიფიქრია,
რატომ არ დამედევნე უკან,
რატომ არ მომკიდე ხელი
და რატომ არ მითხარი,
რომ ზოგჯერ სწორედ უსამშობლობაა თავისუფლება
და რომ უფრო მეტად უნდა მყვარებოდი, ვიდრე ჩემი მიწა,
რომელმაც არ მიმიღო,
დამმარხა და მერე,
რადგან გულზე მძიმედ დავაწექი,
გადმომაფურთხა.

paraded me through villages for people to scorn me
how I stepped into a hole
and because nobody helped me
I cut off my foot to save myself.
I'm telling you he does not love me
and I love him too loudly,
love him with a different part of my heart from the part that loves you.
I love him more boldly than my headscarf allows.
I stand alone in the empty square of my town
and talk to you across the gap.
I have never had a home
and the torrent from the mountain sweeping down the street
is just tears
which I saved for my stepmother
until they overflowed the dish
and washed part of the world away.

Look at me!
I wanted to ask you,
when I left you at the airport
cloaked in snow, I didn't look back.
Why didn't you follow me?
Why didn't you grab my hand
and tell me
that sometimes freedom is a place without motherland
that I should have loved you more than my land
my land which did not accept me:
it buried me
and when I lay too heavily
it spat me out.

ფრენის ამბავი

„ასეთი სიმაღლიდან ვარდნისას ვერავინ გადარჩება“ –
ვფიქრობ და მივფრინავ.

ძველი აეროპორტის ფოიეში იდგა ჩემი მეგობარი,
ცალ ხელში ვისკით სავსე მათარა ეჭირა,
მეორეში – დალუქული კონვერტი.
– აფრენისას თავი გადაწიე – ამბობდა ის –
თავი გადაწიე და თვალები დახუჭე.
ეს ყველაფერი ისე გავდა კოცნის ინსტრუქტაჟს,
რომელიც ოდესღაც ყველას ჩაგვიტარეს,
არ შემშინებია.
დიდხანს დავფრინავდი მეგობრის ხერხების
და უსაფრთხოების საერთაშორისო წესების თანახმად
და ბოლოს მივხვდი,
ყველა ფრენა როდია გადარჩენისათვის.

მე დღეს სულ სხვა ამბავს გიყვები,
გიყვები ფრენის თანდაყოლილ ნიჭზე,
გიყვები გოგოებზე,
რომლებსაც ოდესღაც კოცონზე წვავდნენ,
საკუთარ თავზეც გიყვები –
სხვებთან რა მოსატანია ჩემი ჯადოქრობა,
მაგრამ როგორღაც ხომ მაინც მოგახედე ჩემკენ.
გიყვები გოგოებზე,
რომლებსაც შეუიარაღებელი თვალით
ვერაფრით გამოარჩევ სხვებისგან,
ისინიც დადიან სწრაფი კვების ობიექტებში,
ისინიც შედიან სავაჭრო ცენტრებში სავსე ბარათებით
და ცარიელით გამოდიან,
ისინიც არღვევენ მოძრაობის წესებს,
უფრო ხშირად კი, მანქანის გაბმული სიგნალი ახასიათებთ.
ისინი არსად მალავენ ფრთებს –
მათ არაფერი აქვთ დასამალი.
ისინი ადრიანი გაზაფხულის ყვავილებივით უბრალოები არიან

The Story of Flying

No-one will survive such a fall
I think. Then I fly.

My friend stood in the old airport foyer
with a tumbler in one hand
and a sealed envelope in the other.
When you take off, tilt your head back, he said.
Tilt your head back and close your eyes.
It sounded like an instruction for kissing,
the lessons we were taught once.
I was not afraid.
I flew according to my friend's methods,
followed the international safety regulations
until I finally understood
that not all flights are about survival.

I'm here to tell you something new
about the capacity for flight,
about girls
burned by fire
and about myself too
about my own, private methods.
You turned to me, trusting my magic.
I tell you about the girls.
They're invisible to the untrained eye.
You can't tell them from the rest.
They go to fast food joints like everyone else,
go shopping and max out their credit cards,
leaving empty.
They break the speed limit,
sound the horns of their cars.
They don't need to hide their wings
because there's nothing to hide.
They are simple as crocuses.

და ქუჩაში სიარულისას
ყოველთვის როდი უყურებენ ცას –
მათ კარგად იციან,
რომ ხანდახან მიწა უფრო მნიშვნელოვანია.
ისინი არ გვანან ჟურნალებიდან გადმოსულ გოგოებს,
ვის გამოც, შეიძლება, მარტივად დაიწყოს ომი,
ყველაზე ლამაზები მაშინ არიან,
როცა დაფრინავენ.
მათი ფრენა ბრმაა და უმისამართო,
მათი სიყვარული, ხანდახან, სასჯელია.
შუაღამისას,
როცა ჩვეულებრივი ღიმილით უსურვებენ სხვებს
უშფოთველ სიზმრებს,
ისინი აღებენ ფანჯრებს
და ღამის უხმაურო ჰაერს
მთელი სხეულით ისუნთქავენ
და ვერც კი ხვდებიან, როგორ მიიწევენ მაღლა,
სავსე მთვარისკენ.
ქვემოთ ზღვებია და ოკეანეები,
მთები და კლდეები,
ქვემოთ სხვა ადამიანებს ისე ღრმად სძინავთ,
არავის მოუვა თავში, გარეთ გამოვიდეს,
ცისკენ აიხედოს და დაინახოს ისინი –
უმისამართოდ მფრინავი,
თვალებდახუჭული გოგოები,
უიარაღო ჯადოქრების მთელი ლაშქარი,
რომელთა ფრენაც ყველაზე მეტად ჰგავს მონატრებას,
რომელთა ფრენაც არასდროსაა კომპრომისი,
რომელთაც იციან ერთადერთი შელოცვა:
„მე შენ მიყვარხარ!“
რომელთაც იციან,
რომ თუკი ფრენა არ მთავრდება მის გვერდით,
ვის გამოც წლების წინ სიცოცხლე მოგვეცა,
მაშინ ჯობია, დავიცვათ მარტივი წესი –
ყველა ფრენა როდია გადარჩენისათვის.

Walking down the street,
they don't give telltale glances at the sky
because they know well
that earth is sometimes more important.
They don't look like girls in magazines.
Their faces don't launch a thousand ships.
They are most lovely
when they fly,
aimless and blind.
Their love can be a punishment.
At midnight,
when they say goodnight
and smile like always,
they open the windows
and breathe the soundless air
with their whole bodies.
They don't even understand how they rise,
high, towards the full moon.
Below, seas and oceans
mountains and rocks,
the others who sleep so soundly
they never think to step outside,
look skywards to see them –
flying aimlessly
girls with closed eyes
an army of armless magicians
whose flight looks like longing
and is never a compromise,
whose only spell is
"I love you!"
who know
that if flying doesn't end next to the one
we were born for
it is better to observe
one simple rule:
not all flights are for survival.

სავარძელში ზის ჩემი მეგობარი,
ცალ ხელში ჩაის ჭიქა უჭირავს,
მეორეში – ტელევიზორის პულტი.
ამბობს:
– ყოველთვის შენ რატომ გემართება ასე,
რომ ხანდახან ასეთი ბედნიერი ხარ,
ხანდახან – ყველაზე უბედური.
მე ვუყურებ მას,
ჩემს გამო მწუხარეს,
ჩემზე ზრუნვით დაღლილს
და არაფერს ვეუბნები,
რადგან მას სჯერა ჩემი ფრთების სიძლიერის,
რადგან მას სჯერა უსაფრთხოების წესების ყოვლისშემძლეობის,
რადგან მას ჩემი ამბის კეთილი დასასრულის სჯერა.

მე ყოველთვის დავფრინავ თავგადაწეული,
დახუჭული თვალებით.
დღეს შენი სიყვარულია ჩემი ტრაექტორია,
დღეს შენი ყოფნაა ჩემი მშვიდობიანი დაშვება.
შენ გიჭირავს ის უხილავი ძაფები,
რომლებზეც ვკიდივარ,
რომლებიც არ ემორჩილებიან ქარის მიმართულებას,
რომლებიც არაფერს ემორჩილებიან,
შენი სუნთქვისა და გულის ცემის გარდა.
ჩვენ, ორივემ, კარგად ვიცით –
ასეთი სიმაღლიდან ვარდნისას
სიზმარივით მკრთალდება სიცოცხლე.
შენ გადაწყვიტე.
მე გაპატიებ –
ყველა ფრენა როდია გადარჩენისათვის.

Now, my friend sits in his armchair
holding a cup of tea
and a TV remote control
and says:
Why are you always like this?
Why are you so happy one minute
and so unhappy the next?
I look at him –
sorry for me
care-worn from worrying –
and I tell him nothing
because he believes in the strength of my wings
the power of safety regulations
the power of happy endings.

I always fly with my head tipped back
and my eyes closed.
Today, your love is my flight path
and your body my safe landing.
On a thread I hang on,
I fly like a kite
that won't obey the direction of the wind
or obey anything at all
only the currents of your breath.
We both know well
that falling from such height
will break life's dream.
You decide.
I will forgive you.
Not all flying is about survival.

ამბავი უპოვართა

1

ვერ დავთვალე ზღვაში ქვიშა –
მე ზღვა წამართვეს,
როცა მოვიდნენ, ვიჯექი და ქვიშას ვითვლიდი,
აკეცეს და წაიღეს ჩემი ზღვა – ტირილიც კი ვერ მოვასწარი.
ვერ დავთვალე საშაქრეში შაქარი –
მუდამ ცარიელი იყო.
ვაგორე და ვაგორე ოღრო-ჩოღრო იატაკზე საშაქრე
და როცა მოშინაურებული თაგვები შიმშილით დამეხოცნენ,
გამახსენდა, როგორ შეჭამა კატამ თაგვი წინა ღამით მოსმენილ ზღაპარში
და სიკვდილისგან ვიხსენი მაწანწალა კატა.
მითხარი, ვინ დათვალოს ხუთი პური და ორი თევზი
და მათ მისაღებად რიგში ტალონებით მდგარი ხალხი,
და მაღალღობიანი სახლებიდან გადმოყრილი ნარჩენები,
და ტომრებიდან რუდუნებით განაწილებული,
დაობებული რუხი ფქვილი,
და ხელოვნური რძე,
და ხელოვნური სიყვარული,
რომელიც ყველაფერ სხვაზე სასტიკად კლავს,
და ქუჩაში სიკვდილი,
და ომში სიკვდილი,
და ბრმა ტყვიით სიკვდილი,
და შიმშილით სიკვდილი,
და შიშით სიკვდილი,
ვინ დათვალოს.
მითხარი, როგორ გამოვიანგარიშო ჩემი ცხოვრება,
როცა ფორმულა კოჭლია
და ვერავინ აწონის მიწას, რომელმაც შეჭამა მამაჩემი,
და ვერცერთი ჭურჭელი დაიტევს ცრემლებს,
რომელმაც დედაჩემი დააბერა.
ვინ დათვალოს მარილი,
რომელიც არასოდეს ეყარა სამარილეში –
მხოლოდ ცრემლებში იყო,
ან ის მარილი ვინ დათვალოს,
ის საბედისწერო თექვსმეტი ფუთი მარილი,
რომელიც გვჭირდება მეგობრის გასაცნობად,
ანდა საერთოდ, ვინ დათვალოს მეგობრები,

The Story of the Poor

I
I could not count the sand in the sea.
They took the sea away from me.
When they came, I was on the beach
counting out each grain.
They folded my sea up and carried it away.
I didn't even have time to cry.
I couldn't count granules in the sugar bowl
because it was always empty.
I rolled it on the kitchen floor
and when the mice under the floorboards died of hunger
I remembered the story of cat-and-mouse,
tried to rescue a stray before it starved.
Tell me, who will count the loaves and fishes
and the people who queue at the food bank?
Who will count the scraps thrown from the mansions
and the grey grains of flour
and the artificial milk
and the artificial love
that kills everything it touches?
Who will count death in the street
deaths by war
deaths by blind fire
deaths from hunger
deaths by fear?
How can I add my life up
when the formula is all wrong
and nobody can weigh the soil that consumed my father
and no dish can hold the tears that aged my mother?
Who will weigh the salt
that you can't find in a salt cellar
the kind that only comes from tears?
Who will count the salt
the sixteen pounds of fateful salt
which we need to know our friends?
Who can count friends

რომლებიც ისედაც ცოტანი არიან და მაინც ვერ ითვლი.
ვინ, ვინ დაგვთვალოს ადამიანები,
რომლებიც ვცხოვრობთ უსასრულო სიცარიელეში,
რადგან ცა ქუდად არ მივიჩნიეთ და დედამიწა ქალამნად,
და დავრჩით ასე, თავშიშველი და ფეხშიშველი –
ორივემ მიგვატოვა.

2
მე ვყიდი ჩემს ფერად კაბებს,
განსაკუთრებით იაფად ვყიდი მის გამო ნაყიდებს,
მის გამო შეკერილებს,
მის გამო სიმაღლეგაზრდილ ქუსლებზე გადაკრულ
პრიალა ტყავებს,
ვყიდი გროშებად,
რომ ეს გროშები დავურიგო პატარა გოგონებს სევდიანი თვალებით,
რომლებსაც ბედნიერება ჰგონიათ დიდი კარადა,
რომლებსაც ბედნიერება ახალი ტანსაცმელი ჰგონიათ,
ვყიდი საკუთარ სიყვარულს,
რომ ვერავინ, ვერავინ დათვალოს გათენებული ღამეები,
ჩადენილი სისულელეები,
ვერავინ დათვალოს სუნამოს წვეთები და თმის გათეთრებული ღერები,
ვყიდი ჩემს მოჩვენებით ბედნიერებას –
გრძელია გზა ნაცრისფერი ბავშვობიდან ყვითელკაბიან ქალობამდე,
მაგრამ უკანდასაბრუნებელი გზა უფრო მოკლეა.
ვყიდი, რადგან ჩემი სიყვარული აღმოჩნდა ისეთივე ტყუილი,
როგორიც ჩემი სიზმრები იყო.
მე მინდა, იცოდნენ გოგონებმა,
რომლებიც დგანან ქუჩაში და ჭუჭყიანი ფრჩხილებით ებღაუჭებიან
ჩვენს უბადრუკ ფუფუნებას,
მე მინდა, იცოდნენ გოგონებმა,
რომლებიც მხედავდნენ მასთან ერთად
და შურდათ ჩვენი არარსებული ბედნიერების,
რომ მათი ოცნებების ასასრულებლად,
ჩემი ტკივილების დასამშვიდებლად,
მე მინდა, გავყიდო ჩემი ისტერიულად ფერადი ცხოვრება
და ვთქვა, რომ კარადა სხვა არაფერია,
თუ არა კუბო,
სადაც ვკეტავთ და ვმარხავთ განვლილი დღეების ფერებს და სუნებს,
რომ არ დავიხრჩოთ.

when they are so few and I can't count anyway?
Who will count the inhabitants
of infinite emptiness,
we who can't live
with the sky for a hat and the earth for shoes,
we who must live bareheaded, barefoot.

II
I sell my colourful dresses.
I get the lowest price for those I bought because of him,
sewed because of him,
the shiny leather heels
I bought to stand beside him.
I sell them for pennies,
pennies that will go to sad-eyed girls
who think they can find happiness inside a wardrobe.
I sell my own love –
nobody can tot up the sleepless nights
and bad choices,
the drops of perfume and the grey hairs.
I sell my pretentious happiness.
It's a long road from grey childhood to womanhood's yellow dress,
but the road back is shorter.
I sell it because love turned out to be a lie,
my dreams were lies.
I want the girls to know – the ones who stand in the street,
clinging to our wretched luxury with dirty nails,
the ones who saw us together
and were jealous of what they imagined we had –
I want them to know I will sell
my hysterical, technicolour life for them,
I want them to know that a wardrobe
is just a coffin
where we bury the past, its shadows and smells,
so we might not choke.

ომის ბალადა, ანუ ჩემი ჯარისკაცი ქმარი

1

რაც შენ წახვედი, მე ვსვამ ყავას შენი ფინჯნიდან,
მაშინებს ყველა ქედმაღალი გადმოსახედი,
გაქაფულ ჭურჭელს ნიჟარასთან ვაწყობ მიჯრით და
ვტოვებ. დამჩემდა გულგრილობა, რაც შენ წახვედი.
რაც შენ წახვედი, მე დავდივარ შენი მანქანით
და შენებურად ვასიგნალებ თავგამეტებით,
ამეკვიატა უძილობა, ხელის კანკალი
და უსაშველოდ შევიძულე სენტიმენტები.
რაც შენ წახვედი, მე ვიძინებ სწორედ იმ მხარეს
შენ რომ გეძინა ჩვენს საწოლში და იმ მანძილებს,
ჩვენ რომ გვაშორებს, დიდი ხნის წინ როგორც მითხარი,
ვამოკლებ ფიქრით და ტკივილებს ჩვენსას ვაძინებ.
რაც შენ წახვედი, მაწუხებენ ჩუმი შიშები,
რომ სახლში ვიღაც დააბიჯებს და მემალება,
ზოგჯერ მგონია (არ ვაჭარბებ), ისე ვიშლები,
რომ ვერც კი ვხვდები. დავილალე, ვიქეც თვალებად.
რაც შენ წახვედი, ამინდების ცვალებადობა
პირობითია და ჩვენს სახლში ქრიან ქარები,
ჩემი თვალები დაიწყებენ ცრემლად დადნობას
მალე და ცრემლებს მერე არსად შეიფარებენ.
რაც შენ წახვედი, ჯიბით დამაქვს შენი დანა და
ჩემთან მერცხლები დაბრუნებას აგვიანებენ,
მიჭირს, მჯეროდეს, რომ რატომღაც, მუდამ ავად ვარ
და არ მიხდება შენი შავი რეიბანები.
რაც შენ წახვედი, მე ვარ ორი, ასე მგონია
და თან, ჯამი ვარ ამქვეყნიურ სიმარტივეთა,
იქით, საითაც მარტოობა და სიშორეა,
არ შემიძლია, მაპატიე! ვერ მივიხედავ!
და გელოდები, სასაკლაოს სუნით გაჟღენთილს,
შენი სიცოცხლის და სიკვდილის ჩუმი მხლებელი,
წაუკითხავად მაგიდაზე დაგრჩა გაზეთი
და ახლა ისიც გელოდება ხელუხლებელი.
მე ისიც ვიცი, გესიზმრება ჩვენი ოთახი,

My Soldier Husband

I
Since you left, I've been drinking coffee from your cup.
I am frightened by distance, its arrogant perspective.
I stack foamy dishes by the sink and
leave them. I couldn't-care-less since you left.
Since you left, I have been driving your car
and like you, I beep the horn enthusiastically.
I've developed obsessions: hand-shaking, insomnia,
an aversion to sentiment. Since you left,
I sleep on your side of the bed, shorten
the miles between us with thoughts.
Since you left, I'm plagued by the quiet fear
of someone sneaking in and hiding downstairs.
I'm not exaggerating – I sometimes think
I'm destroyed beyond recognition. I wilt,
I am a drooping eyelid.
Since you left, the weather is mercurial
and gales blow through our house.
Soon my eyes will melt into tears
I can't hide. Since you left,
I carry your penknife in my pocket
and the swallows are late returning.
I'm always improbably ill
and your sunglasses don't suit me.
Since you left, I am two people
and the sum of the world's simplicities.
Forgive me – I can't look back,
I can only wait for you, you
drenched in the smell of massacre,
silent servant of your life and death.
The newspaper you left rests on the table.
I know you dream of our room
under the modest light of the moon.
The water drips from my hair. I wear

რომელსაც მთვარე მოკრძალებულ შუქით ანათებს,
ვზივარ და ვფიქრობ, ჩემს ნაკვალევს როდის მონახავ,
თმიდან მდის წყალი და მაცვია შენი ხალათი.
რაც შენ წახვედი, შეიცვალა მთელი სამყარო
და ჩემს ბილიკებს აეკიდა ყველა თავხედი,
მე კი, უბრალოდ, გამოვტყდები და გაგახარებ,
რომ უფრო მეტად შემიყვარდი შენ, რაც წახვედი.

2

ვხედავ,
ზეციდან ანგელოზები ცვივიან,
ფრთხილად!
სიკვდილებს ახლოს ფუთფუთი სჩვევიათ!
მე დაშენ გადავრჩებით. მიწა ისეთი ცივია,
ვერ მიგაბარებ, შენი სიცოცხლე ჩემია.
არა,
ცხედრებთან ნუ შეჩერდები მდუმარედ!
ფრთხილად!
სიკვდილმა არ მიგიყტუოს უჩუმრად,
მოვალ სიზმრებში, ვით სასურველი სტუმარი,
დავიწყებული გაზაფხულების ჩურჩულად.
ვხედავ,იწვიან მიტოვებული სახლები,
ვხედავ,
ტირიან შვილებმოკლული დედები,
მე ყოველ დილით შენს მოლოდინში ვახდები
და ყოველ ღამით მარტოობაში ვბერდები.
ვხედავ,
კვდებიან ფარაჯიანი ბიჭები,
მინდორს დანაღმულს შიშით გვერდს უქცევს მდინარე,
ვიღაც ეცემა,
ვიღაც გარბის და იჭრება,
არ მოიხედო!
ნუ შეჩერდები!
იარე!

your dressing gown. Since you left
the universe has shifted. I'm surrounded
by idiots. I'm more in love with you
than ever.

II
I can see
angels are falling from heaven.
Careful!
death tends to follow them.
You and I will survive.
The earth is so cold
I cannot give you over to it.

No,
don't stop silently
by the corpses.
Be careful!
Death may seduce you,
I will be invited into your dreams,
a whisper of forgotten spring.
I can see the abandoned houses burning,
I can see the weeping mothers of lost children.
Each morning I wait for you,
in hope and youth
and every lonely night makes me older.

I can see,
the boys in overcoats are dying,
the river is flooding the minefield,
somebody is falling,
somebody is running, shot.
Don't look back!
Don't stop!
Keep walking!

3

ღმერთო, მაპატიე ჩემი ქალური უძლურება,
ჩემი ტკივილები ჩემსავე სიზმრებში დაატიე,
ღმერთო,
ამომივსე ხახამშიერი უფსკრულები,
და წამიერი გულისთქმანი მაპატიე.
ღმერთო, დააპურე ჩემი მშიერი სარეცელი
და დამიბრუნე ის, ვინც არასდროს მომწყინდება,
ჩემკენ ჭორები თვალებს უსირცხვილოდ აცეცებენ,
მერე მზე მოდის და ჩემს სიზმრებზე ქორწინდება.

4

შემოდი.
ღამეს მიაბარე შენი ფარაჯა,
და ფეხაკრეფით მოეახლე ნანატრ სარეცელს,
მწუხარებაში სიხარულის ცრემლიც დავხარჯე,
და მოცახცახე ხელს გაშველებ, რომ არ დაეცე.
შემოდი.ისევ მხურვალეა ჩემი ტუჩები
და უძილობა _ ჭლექზე უფრო განუკურნელი,
როცა ტყვიებს და მოჩვენებებს გადაურჩები,
უფრო ტკბილია გრძელ ღამეში მიტკლის სურნელი.
შემოდი.შავბნელ მოგონებებს „არა“ უთხარი,
ჩუმად შეგაბამ ჩემს შელოცვილ ხატ-ავგაროზებს,
ნუ ფიქრობ მათზე, ვისაც მიწა ამოუთხარე
საკუთარ ხელით გუშინ ძმათა სასაფლაოზე.
ნუ ფიქრობ მათზე, ვინც ვერაფრით გადაარჩინე,
ვინც მხოლოდ უფალს და ქარიშხალს ემახსოვრება,
მომენდე,ჯერაც არარსებულ სიზმარს გაჩვენებ,
იქნებ როგორმე შეგაყვარო ისევ ცხოვრება.
მოდი.ძალღივით აგილოკავ ყველა ჭრილობას,
და შევებმები შენს თვალებში მბორგავ ქარიშხლებს,
და თუ შენს ღიმილს დაუბრუნდა გულახდილობა,
ბედნიერ დღეებს ერთს ათასად ვიანგარიშებ.
შემოდი.

III

God, forgive my weakness.
I am a woman,
make my pain abstract.
God, fill the hungry chasm
and forgive me my desire.
God, fill my empty bed
with the one I will never be bored with.
Gossips watch me.
The sun can only marry us in dreams.

IV

Come in,
give the night your greatcoat
and tiptoe to the bed you yearned for,
I'm all cried out
and I offer my shaking hand
so you don't fall down.

Come in. My lips are still burning
and I haven't slept.
When you've survived bullets and ghosts.
the smell of cotton sheets is all the sweeter.

Come in. Shut out dark memories.
I will decorate you with charms.
Don't think about the brothers
you buried yesterday with your own hands.
Don't think about those you couldn't save,
who only God and weather remember.
Trust me, I can make you love life again.

Come. I will lick your wounds like a dog,
and I will fight the storms behind your eyes,

ჩვენს სახლს ვერ მოაგნებს ომი წყეული,
ვერც სატანჯველი,
ვერც შიმშილი,
სროლა,
ბრძოლები,
დაე, უკუნმა მიიბაროს ჩემი სხეული,
ქმრად მექცეს მიწა, თუკი გვერდით არ მეყოლები.
ჩემი მკლავები შენთვის მტკიცე არის სანგარი,
დღისით და ღამით,
ყოველ დილით, ყოველ დილამდე,
შეჩერდი წამით,
ტკივილებმა თუკი დაგღალეს,
მოდიდა თავი საიმედო სანგარს მიანდე.
შემოდი.
სისხლში ამოსვრილი შენი ფარაჯა
ისევე მიყვარს, როგორც შენი კანი უხეში,
იძინე მშვიდად, მთელი ღამე დაგიდარაჯებ,
შენს ამოოხვრას შევიფარებ ფრთხილად უბეში.
შემოდი.
ცეცხლი ნაცრად იქცა, კარგა ხანია,
და ბაღიშს დასწვდა ოქროსფერი ჩემი საყურე,
წავიდნენ სხვები, იყვნენ, მაგრამ აღარ არიან,
შენ კი დაბრუნდი და მძინარეს ჩუმად დამყურებ.
შემოდი.

and if I can bring your smile back
a single day will be worth a thousand.

Come in. The cursed war
cannot reach our house,
not torture,
nor hunger,
shooting,
fights.
Let the void take my body
if you are not next to me.
Let the earth become my husband.
My arms are a trench for you,
day after day
night after night.
Stop for a second.
If pain has tired you
give yourself over to me.

Come in.
Your greatcoat is smeared with blood,
I love it like I love the smell of your rough skin.
Sleep calmly, I will guard you all night,
I will fold your sleeping sighs into handkerchiefs
and keep them hidden in my pockets.

Come in.
The fire turned to ashes long ago
and my head long-since hit the pillow.
Everyone else has gone now
but you've returned and you look at me quietly.
Come in.

SALOME BENIDZE is a poet, novelist and translator, as well as a campaigner for women's rights. She won the Saba literary away for best debut in 2012, which brought her nationwide recognition. She is the author of two collections of poetry and one novel, *The City on Water* which was a national bestseller and won the Tsinandali Award in 2015. Her works of translation from English include David Beckham's *My Side*, Shirin Ebadi's *The Golden Cage* and Salman Rushdie's *Two years, eight months and twenty-eight nights*.

HELEN MORT was born in Sheffield. Her first collection *Division Street* won the Fenton Aldeburgh Prize. Her collection *No Map Could Show Them* (Chatto & Windus, 2016) was a PBS Recommended Title. In 2017 she presented *Mother Tongue* on BBC Radio 4, exploring poetry in translation. She is a Lecturer in Creative Writing in the Manchester Writing School.

NATALIA BUKIA-PETERS is a freelance translator, interpreter and teacher of Georgian and Russian. She studied at Tbilisi State Institute of Foreign Languages before moving to New Zealand in 1992, then to Cornwall in 1994. She is a translator for the Poetry Translation Centre in London and a member of the Chartered Institute of Linguists, and translates a variety of literature, poetry and magazine articles. Her translations in collaboration with writer Victoria Field include short fiction and poetry by contemporary Georgian writers. Their most recent book is an anthology, *A House with No Doors – Ten Georgian Women Poets* (Francis Boutle, 2016).